소년과 나비

사랑하는 마음의 여정

어떻게 동물에 대한 연민이 사랑과 희망의 평생 사명이 되었는지.

Mr Choi and Nabi

A Journey of the Heart

How Compassion for Animals Became a Lifetime of Love and Hope

최성규 & 엘리자베쓰 오'캐롤

Seong Gyu Choi and Elizabeth O'Carroll

A JOURNEY OF THE HEART

How Compassion for Animals Became a Lifetime of Love and Hope

Seong Gyu Choi and Elizabeth O'Carroll

Published by Celestar Publishing LLC 30 N Gould St Ste R
Sheridan, WY. 82801

Translated By: Ho Sim and E.J. Kwon

Edited by: E.J.Kwon

Printed in the U.S.A.

Table of Contents
목차

Dedication

Dedicated to people who love animals and take care of them the way they wish to be treated. For the 'Cat Mothers and others' who faithfully stop to feed, rescue and be a guardian angel to the feral cats whose lives are by circumstance. To Mr. Choi, whose compassion for animals has made change in the lives of countless kittens, cats, and the people who have adopted them and made them part of their family. One kitten at a time, Mr. Choi is a local hero who is selflessly making a difference.

동물을 사랑하고 그들이 대접 받기를 원하는 방식으로 돌보는 사람들에게 헌신합니다. 상황에 따라 생활하는 야생 고양이에게 먹이를주고, 구출하고, 수호 천사가되기 위해 충실하게 멈추는 '고양이 어머니와 다른 사람들'을 위해. 동물에 대한 연민이 수많은 새끼 고양이, 고양이, 그리고 그들을 입양하여 가족의 일원으로 만든 사람들의 삶을 변화시킨 최 씨에게. 한 번에 한 마리의 새끼 고양이 인 최 씨는 사심없이 변화를 일으키는 지역 영웅입니다.

Forward

The Star Thrower
불가사리 던지는 사람

Once upon a time, there was an old man who used to go to the ocean to do his writing. He had a habit of walking on the beach every morning before he began his work. Early one morning, he was walking along the shore after a big storm had passed and found the vast beach littered with starfish as far as the eye could see, stretching in both directions.

옛날 옛적에, 글을 쓰기 위해 바다에 가곤 했던 노인이 있었다. 그는 일을 시작하기 전 매일 아침 해변을 걷는 습관이 있었다. 어느 날 아침 일찍, 그는 큰 폭풍이 지나간 해변을 따라 걷고 있었는데 불가사리로 흩어져 있는 광대한 해변을 발견했고 그 해변은 양방향으로 끝없이 펼쳐져 있었다.

Off in the distance, the old man noticed a small boy approaching. As the boy walked, he paused every so often and as he grew closer, the man could see that he was occasionally bending down to pick up an object and throw it into the sea. The boy came closer still and the man called out, "Good morning! May I ask what it is that you are doing?"

멀리서 노인은 작은 소년이 다가오는 것을 보았다. 소년이 걸을 때 너무 자주 멈춰 서고 더 가까워졌을 땐, 소년은 때때로 물건을 집어 들고 바다에 던지기 위해 몸을 구부리는 것을 볼 수 있었다. 소년은 여전히 다가오고 있었고 노인은 "좋은 아침! 네가 뭘 하고 있는지 물어봐도 될까?"라고 말했다.

The young boy paused, looked up, and replied "Throwing starfish into the ocean. The tide has washed them up onto the beach and they can't return to the sea by themselves," the youth replied. "When the sun gets high, they will die, unless I throw them back into the water."

어린 소년은 잠시 멈춰 서서 올려다보며 "불가사리를 바다에 던지고 있었어요. 밀물이 불가사리들을 해변으로 떠밀어 냈고 그들은 다시 스스로 바다로 돌아갈 수 없어요"라고 소년은 대답했다. "제가 불가사리들을 물 속으로 다시 던지지 않으면 해가 뜰 때 불가사리들은 죽을 거예요."

The old man replied, "But there must be tens of thousands of starfish on this beach. I'm afraid you won't really be able to make much of a difference."

노인은 대답했다, "하지만 해변에는 수만 마리의 불가사리가 있어. 나는 너가 큰 변화를 만들지 못할 것 같아 두려워."

The boy bent down, picked up yet another starfish and threw it as far as he could into the ocean. Then he turned, smiled and said, "It made a difference to that one!"

소년은 몸을 구부리고 또 다른 불가사리를 집어 들고 최대한 멀리 던졌다. 그런 다음 그는 돌아서서 미소 지으며 "그 중 하나에는 변화를 만들었는걸요!"

Adapted from The Star Thrower, by Loren Eiseley
(1907 – 1977)

The moral of this story, one kitten or one starfish; it makes a difference to be part of the solution and not the problem. Be the change.

이 이야기의 도덕성, 한 마리의 새끼 고양이 또는 한 마리의 불가사리; 그것은 문제가 아닌 해결책의 일부가 되는 차이를 만듭니다. 변화하십시오.

1) The Starfish Story: one step towards changing the world | EventsForChange (wordpress.com)

1) 불가사리 이야기: 세상을 변화시키기 위한 한 걸음 EventsForChange (wordpress.com)

Please note that Chapters 1-6 are written by Mr. Choi and uniquely in his personal narrative as a native Korean speaker.
1-6장은 최씨가 글을 썼으며 한국어 원어민으로서 그의 개인적인 이야기를 독특하게 다루었다.

CHAPTER 1
1 장

On the Way to Kindergarten

유치원 가는 길에

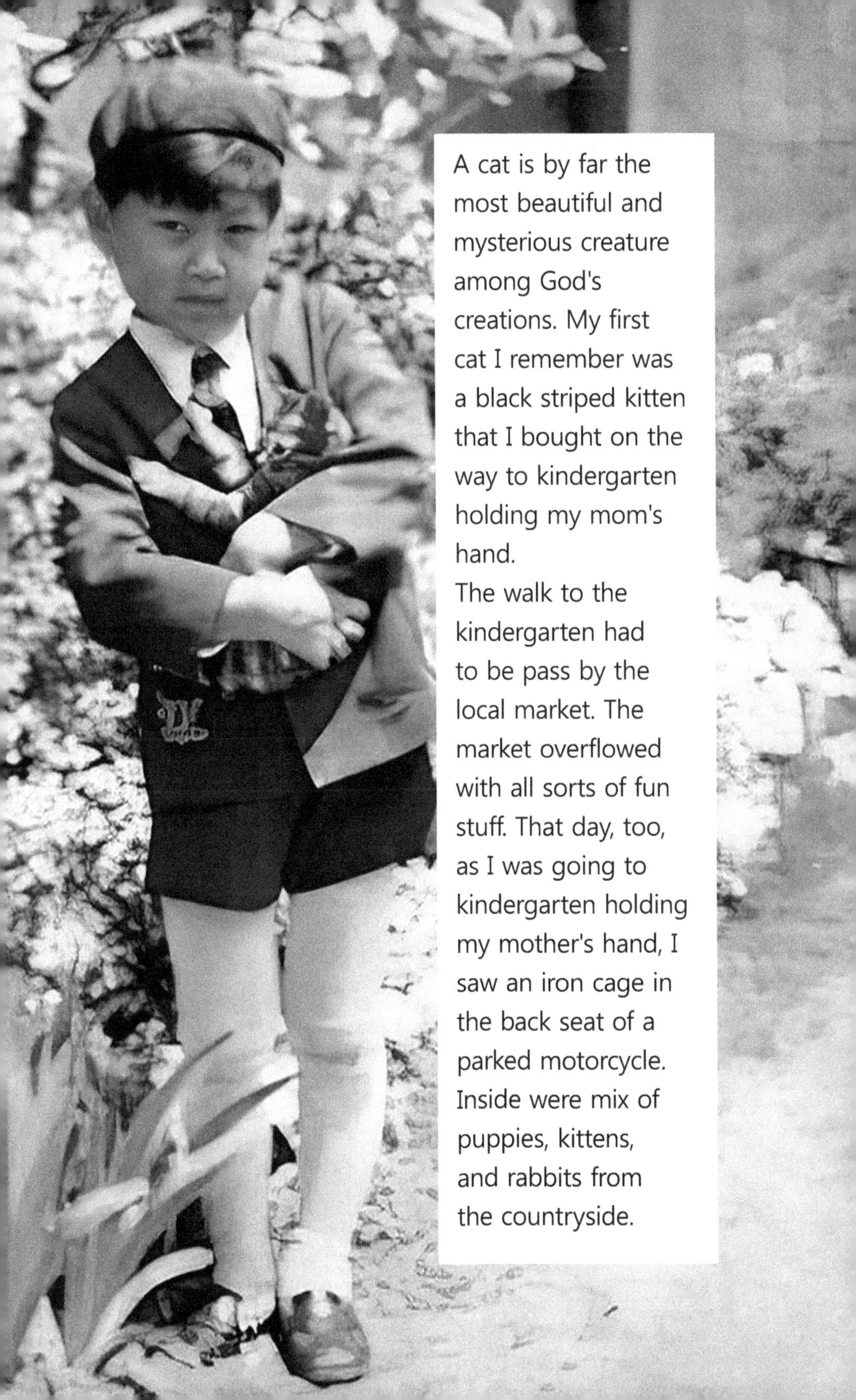

A cat is by far the most beautiful and mysterious creature among God's creations. My first cat I remember was a black striped kitten that I bought on the way to kindergarten holding my mom's hand.
The walk to the kindergarten had to be pass by the local market. The market overflowed with all sorts of fun stuff. That day, too, as I was going to kindergarten holding my mother's hand, I saw an iron cage in the back seat of a parked motorcycle. Inside were mix of puppies, kittens, and rabbits from the countryside.

The moment I saw the babies, my face filled with happy smiles and laughter, and threw a fit saying that I wouldn't go to the kindergarten if we didn't buy a cat. That's how the black striped cat became my first cat in 1975 – The year I turned 7.

고양이란 놈은 신이 만든 창조물 가운데 단연코 가장 아름답고 신비로운 생명체가 아닌가 싶다. 내가 기억하는 나의 첫 고양이는 엄마 손을 잡고 유치원 가는 길에서 산 검은색 줄무늬 아기 고양이였다. 유치원 가는 길은 동네 시장을 경유해서 가야만 했다. 시장 안에는 온갖 재미있는 것들로 넘쳐났다. 그날도 난 엄마 손을 잡고 유치원을 가다가 세워진 오토바이 뒷좌석 철장을 보게 되었는데 철장 안에는 시골에서 올라온 강아지들과 새끼 고양이 그리고 토끼 여러 마리가 뒤섞여 있었다. 그 아기들을 보는 순간 내 얼굴엔 행복한 미소와 웃음이 가득했고 고양이를 사주지 않으면 유치원에 가지 않겠노라고 떼를 쓰며 버텼다. 그리하여 검은색 줄무늬 고양이가 나의 첫 고양이가 되었다. 그때가 1975년 내가 7살 되던 해였다.

Seong Gyu Choi and his Family

Animal welfare in South Korea was truly disastrous 45 years ago. At that time, there was no decent animal food for cats, no sand for cat litter, and not even the concept of neutering. In the 1970s, Korean cats ate leftovers humans left behind and were simply raised without any vaccination. In the '70s, Korean houses were not enclosed apartments or villas as they are today, but rather Hanok houses with low fences and small yards. That's why most cats were raised as outdoor cats that roamed freely despite being a house's cat.

In a way, cats back then might have been happier, able to jump between roofs in the neighborhood at their disposal, with the freedom to hunt and run as much as they wanted. However, cats often left the house and never returned once they were in heat. The black-striped cat that I bought on the way to kindergarten also grew up healthy and big, but he left the house for good in less than 2 years. My first cat! To be honest, I don't have a lot of memories of my black-striped cat.

The very few memories that I have of it is that it was very strong, fierce, and great at jumping roof to roof. Countless cats have passed through our house, but there's one unforgettable cat that I still live with a heart of atonement. My yellow striped, white cheese-tabby cat that became a permanent star in my heart - Nabi!!! Let me tell you briefly about Nabi.

45년 전 한국의 동물복지는 참으로 참담했다. 그 당시에는 고양이가 먹을 변변한 사료도, 고양이 배변을 위한 모래도 없었으며 중성화 수술에 대한 개념조차 없을 때였다. 1970년대 한국 고양이들은 사람이 먹다가 남은 음식을 먹었고 백신 접종도 하지 않고 그냥 키워졌다. 70년대 한국 집들은 지금처럼 밀폐된 아파트나 빌라가 아닌 나지막한 담장과 작은 마당이 있는 한옥 집들이 많았다.

그래서 대부분의 고양이들은 집고양이라도 자유로이
돌아다닐 수 있는 외출 고양이로 키워졌다. 어찌 보면
지붕 타고 온 동네를 마음껏 돌아다닐 수 있었던 그때의
고양이들이 더 행복했을 수도 있겠다. 마음껏 사냥하고
뛰어놀 수 있는 자유가 있었으니까. 그런데 그 당시
고양이들은 발정기가 오면 집을 나가서 돌아오지 않는
경우가 많았다. 유치원 가던 길에서 산 그 검은색 줄무늬
고양이도 건강하게 자라 큰 고양이로 성장했지만 그놈도
2년이 안되어 집을 나가서 돌아오지 않았다. 사실 나는
나의 첫 고양이! 그 검은 줄무늬 고양이에 대해선 추억이
그리 많지 않다. 녀석에 대한 기억이라곤 힘이 엄청 세고
사나웠으며 지붕 타고 잘 돌아다녔던 거 말고는 기억나는
게 거의 없다. 우리 집을 거쳐간 수 많은 고양이들이
있었지만 지금도 속죄하는 마음으로 살게 된 잊을 수
없는 고양이 한 마리가 내게 있다. 영원히 내 가슴속에
별이 된 흰 바탕에 고동색 줄무늬 치즈태비 고양이
Nabi!!!
지금부터 나는 그 Nabi 이야기를 잠깐 하려고 한다

CHAPTER 2
2장

Nabi, forever in my heart

나비, 내 맘속에 영원히

In the 1960s and 1970s, name of most Korean dogs was Mary, and Nabi for cats. I don't know why. There are many theories, but there is no clear answer. People just went "Hey Nabi" whenever they came across random cats in the streets.

1960~1970년대 한국 강아지 이름은 거의 메리였고, 고양이 이름은 한국식 발음으로 Nabi였다. 이유는 모른다. 여러 가지 설이 있지만 명확한 답도 없다. 그냥 길을 가다가 모르는 고양이를 만나면 전부 "Nabi야." 하고 불렀다.

My Nabi came around the summer of my 4th grade of elementary school. My cousin was traveling to a place called Busanjin, a place little far from our house, and he saw a grandmother selling pretty kittens very cheaply in the streets. We begged our mom saying that its cheap and she allowed. My cousin took a plastic box and came back with the cat in an instant. We opened the box with excitement, only to find a cheese-tabby kitten breathing heavily, exhausted from the steaming heat of summer and car sickness. We thought the cat was cheap because it was sick and was discouraged that it'd die soon. But a miracle occurred one night later. The seemingly dying kitten had completely recovered after spending all night sleeping.

우리집 Nabi가 내게로 온건 내가 초등학교 4학년이 된 여름 무렵이었다. 사촌 형이 우리 집에서 조금 먼 부산진이라는 곳을 다녀오다가 길에서 할머니가 예쁜 새끼고양이를 아주 싸게 파는 걸 봤다고 알려줬다. 가격이 싸다는 말에 우리 형제들은 어머니를 졸랐고 엄마는 허락해 주셨다. 사촌형은 플라스틱 상자를 가져가서 한 걸음에 고양이를 사 가지고 왔다. 우리는 설레는 마음으로 상자를 열었는데 거기엔 차멀미와 한여름 찜통 무더위에 탈진한 치즈태비 아기고양이 한 마리가 힘겨운 숨을 몰아쉬고 있었다. 우리 형제들은 값싸게 산 고양이라 어디 병이 들어 보인다며 곧 죽을 거 같다고 낙담했다. 그런데 하룻밤 뒤 기적이 일어났다. 죽을 줄로만 알았던 그 아기고양이는 하룻밤을 꼬박 잠만 자더니 완전히 컨디션을 회복했다.

For the cheese-tabby kitten, the house was perceived as a new world in which everything was interesting and novel. On summer nights, my father set up a large mosquito tent on the floor and slept in it. Perhaps Nabi saw my father as big prey trapped in a mosquito net? As he slept, Nabi tapped my father with its feet, ran from one end of the floor to another in an instant, then swung its paws through the torn hole in our paper window, as if asking to play hide-and-seek. At that time, our house had a fairly large yard – in the springs, our garden of azaleas, daisies, marigolds, colorful flowers and trees fully bloomed and grew.

With the rocks and pond on top of all, it was very beautiful. Nabi chased the butterflies fluttering in the garden, climbed on the flowers and trees and showed off its beauty. Did you know cats and flowers look so great together? Nabi was a lovely kitten who always waited for me at the front door when I came back from school, and even if it was playing somewhere else, Nabi was a truly unique cat that ran right to me once I called out its name: Nabi! Nabi!

그 치즈태비 아기 고양이에게 집안은 모든 게 흥미롭고 신기한 새로운 세상으로 인식 되어졌다. 여름밤에 아버지는 큰 모기장을 마루에 설치하고 그 속에서 주무셨다. 모기장 속에 아버지가 녀석에겐 큰 사냥감이었을까? 모기장 속에 주무시는 아버지를 발로 툭툭 건드리고 이쪽 마루 끝에서 저쪽 마루 끝까지 한 걸음에 내달리고, 찢어진 창호지 문 속으로 앞발을 슉슉 들이밀며 숨바꼭질이라도 하자는 듯이 장난을 쳤다. 그 당시 우리 집은 마당이 꽤 넓었고 봄이 되면 진달래, 영산홍, 만리향, 형형색색의 꽃과 나무들이 만발했고 바위와 연못이 있던 정원은 매우 아름다웠다. Nabi는 그 정원에서 나풀거리는 나비를 쫓았고 꽃과 나무 위에 올라가 자기의 아름다움을 연신 뽐냈다. 그거 아는가? 꽃과 고양이가 너무 잘 어울린다는 거! 내가 학교에서 집으로 돌아오면 Nabi는 늘 대문 안에서 날 기다려주는 사랑스러운 아이였고 다른 데서 놀다가도 Nabi! Nabi! 하고 부르면 어김없이 달려오는 참으로 기특한 고양이였다.

I have so many memories with Nabi. There was a time when Nabi didn't come home for two days, and we freaked out. Then we heard Nabi crying pathetically somewhere. We listened closely to find it was in the yard of a neighbour's. Nabi left to play in their garden but got its hind legs tangled in vines and got suck. We were brave, crossing over our neighbor's fence and rescue Nabi. Since then, Nabi brought sparrows, rats and others in its mouth and handed them to us whenever it went hunting, as if to make requital. We were frightened... There was that other time when my mother made Nabi a necklace in red cloth with a tiny bell attached. Nabi yawned and got its chin stuck on it at one point, almost dislocating it. Also, on one Sunday morning, he was chased by a large, domesticated dog, Gunjo Shepherd, and climbed to the top of a ginkgo tree then got stuck. My brother and I brought a ladder and barely managed to rescue it.

Seong Gyu Choi and his brother

Nabi와의 추억은 너무나 많다. 한 번은 Nabi가 집에 이틀을 안 들어와서 난리가 났었다. 그런데 어디선가 Nabi 목소리가 애처롭게 들려오는 거였다. 가만히 들어보니 뒷집 마당이었다. Nabi는 뒷집 정원에 놀러 갔다가 뒷다리가 덩쿨에 엉켜서 돌아올 수 없었던 것이다. 용감한 우리 형제는 바로 뒷집 담장을 넘어 Nabi를 구출해왔다. 그 뒤로 Nabi는 사냥만 하면 보답이라도 하듯이 참새와 쥐 등을 물고 와서 우리에게 건넸다. 우리는 기겁을 했지만... 언젠가 어머니가 Nabi에게 빨간 천으로 된 방울을 단 목걸이를 만들어준 적이 있었다. 그런데 Nabi가 하품을 하다가 목걸이가 턱에 걸려서 턱이 빠질 뻔한 적도 있었다. 또 일요일 어느 아침에는 집에서 키우던 큰 대형견 세퍼트 gunjo에게 쫓겨 은행나무 꼭대기까지 올라갔다가 내려오질 못하고 있었다. 그래서 나와 동생이 사다리를 가져와 겨우 구조한 적도 있다.

Korean houses back then were not well insulated, so it was always cold in the winter. Nabi was warming himself next to the electric heater my father had turned on. At one point, I smelled some sort of meat burning. Nabi didn't even know it was sitting too close to the electric heater and were burning its fur. Fortunately, Nabi's skin was unharmed. On cold winter nights, Nabi would cry at the door to let it enter. My parents didn't allow me, but I always brought Nabi in and slept with it in my thick duvet. I even had to take the blame when Nabi soaked my duvet once. They say that cats choose one person within the family as its owner and seeing Nabi always climbing on top of my belly and my lap, I must've been the chosen one

그 당시 한국 집은 단열이 잘되지 않아서 겨울엔 늘 추웠다. 아버지가 켜 놓은 전기히터 옆에서 Nabi도 몸을 녹이고 있었다. 그런데 한순간 고기타는 냄새가 났다. Nabi가 자기 털 타는 줄도 모르고 너무 전기히터 옆에 바짝 붙어 있다가 털이 탄 것이다. 천만다행으로 Nabi 피부는 무사했다. 추운 겨울밤엔 Nabi가 방에 들어오겠다고 문 앞에서 울면 부모님 반대에도 늘 내가 Nabi를 데리고 들어와 두꺼운 이불 속에서 함께 잤다. 어떤 날은 Nabi가 이불에 오줌을 왕창 싸 놓은 걸 내가 쌌다고 누명을 쓴 적도 있었다. 고양이는 가족 중에 유일하게 한 사람만 선택해서 주인으로 인정한다던데 내가 선택받았는지 Nabi는 항상 내 배 위, 내 무릎에만 올라왔다.

My relationship with Nabi was really special. We trusted each other and I did my best to take care of Nabi.
When Nabi was about to turn 2 years old, he started shedding heavily.
My parents often told me they will take it to the ranch, saying there's too much hair falling out. I didn't' even

Mr. Choi's parents

think for a second that that would actually happen. At the time, our house ran a ranch raising cows in a place called Unyang. One day I came home from school, and I couldn't find Nabi. My mom constantly told me that she didn't know where Nabi was. It was
only after asking multiple times that I learned that Nabi had been taken to the ranch. Oh my God!! Nabi was taken to the ranch because it was shedding too much fur and there were lot of rats that were stealing the cow's feed. I was sad and furious, but there was nothing I could do at that time.

나와 Nabi의 관계는 정말로 특별했다. 서로를 신뢰했고 나는 Nabi를 온 정성을 다해 돌보았다. 그러던 어느 날, Nabi가 2살이 되어갈 무렵 털갈이를 심하게 했다. 털이 너무 많이 빠진다는 이유로 부모님은 Nabi를 목장으로 데려갈 거라고 종종 말씀하셨다. 나는 설마 그 일이
진짜로 벌어질 거라고는 상상도 할 수 없었다. 그때 우리 집은 언양이라는 곳에 젖소를 키우는 목장을 경영하고 있었다. 어느 날 학교를 마치고 집으로 왔는데 Nabi
가 안 보였다. 엄마에게 물어봐도 모른다고만 대답을 했다. 몇 번을 물어본 후에야 Nabi가 목장으로 끌려간 사실을 알게 되었다. 오 마이 갓!! 털도 많이 빠지고
목장에 쥐들이 많아서 소가 먹는 사료를 뜯는다고 Nabi
를 목장으로 데려간 것이다. 슬프고 분노가 치밀어
올랐지만 당장 내가 할 수 있는 일은 아무것도 없었다.

It wasn't a place I could go to on my own as an elementary school student. I decided to follow my parents to the ranch and bring Nabi back. However, my parents easily went by themselves after making me busy, and the opportunity was rare. One day my mom went to the ranch and told me that she saw Nabi. She told me that Nabi ran over once she called its name and found that it was very skinny and boney. I was heartbroken and cried.

그곳은 초등학생인 내가 혼자서 갈 수 있는 데가 아니었다. 부모님이 목장갈 때 반드시 따라가서 Nabi를 다시 데려오마하고 다짐했다. 하지만 부모님은 나를 따돌리고 그들끼리만 가기 일쑤였고 좀처럼 기회는 오질 않았다. 엄마가 목장을 다녀온 어느날 Nabi를 보았다고 했다. Nabi야 하고 부르니까 반갑게 달려왔는데 자세히 보니 뼈만 앙상하게 많이 야위였더라고.. 그 말을 듣는 순간 너무 가슴이 아파 눈물이 났다.

One weekend after three months since Nabi left to the ranch, I was finally able to get into my father's car on the way to the ranch. I had a lot of worries ahead. Will I be able to meet Nabi? Is it still alive? What if its eating rats and birds because it has nothing else to eat? I arrived at the ranch after many thoughts. I looked for Nabi as soon as I got out of the car, unable to find it. I asked everyone who worked there only to hear that they had no idea - Nabi was nowhere to be found. During the search, all I could find was what Nabi used to eat... bowl dried up and food so rotten, I wasn't sure when they last checked on it. Seeing it was more heartbreaking and painful than to see Nabi's corpse. How frightening and difficult it must have been for a domesticated cat who lived comfortably at home to be dragged to a valley ranch and forced to be wild. Nabi!!! ~~Nabi!!! No matter how loudly I called, Nabi was not there. That is when I had to bury my cheese-tabby cat Nabi in my 5th grade elementary school kid's heart.

Nabi가 목장으로 간 뒤 3개월이 지날 무렵 주말에 나는 드디어 목장으로 가는 아버지 차에 올라탈 수 있었다. 걱정이 많이 앞섰다. 과연 Nabi를 만날 수 있을까? 살아는 있을까? 먹을 게 없어서 쥐와 새를 잡아먹고 살고 있는건 아닐까? 온갖 생각을 다하다 드디어 목장에 도착했다. 차에서 내리자마자 Nabi부터 찾았는데 보이지 않았다. 거기서 일하는 모든 사람들에게 물어봐도 모르겠다는 말만할 뿐 Nabi의 모습은 어디에도 없었다. Nabi를 찾다가 내가 발견한 건 Nabi가 먹던... 언제 주었는지도 모를 말라 비틀어진 사료그릇과 물그릇뿐이였었다.

그것을 보는 게 죽은 Nabi의 시체를 보는 것 보다 더 마음이 아프고 고통스러웠다. 집에서 편히 살던 고양이가 졸지에 산골짜기 목장으로 끌려와 산고양이가 돼 버렸으니 얼마나 무섭고 힘들었을까? Nabi!!!~~Nabi!!! 아무리 큰소리로 불러봐도 Nabi는 없었다. 그렇게 치즈태비 고양이 Nabi는 초등학교 5학년 내 어린 가슴에 묻어야만 했다.

Seong Gyu Choi and Nabi

CHAPTER 3
3장

Like Fate, With Cats

운명처럼 고양이들과 함께

Even since then, there were always cats in our house. There was the cat siblings Cheol-su and Yeong- hee that my sister had obtained from cosmetics store she was a regular in, and a tricolored cat named Silver that my uncle had brought. I could keep going with the names; Sunja, Kitty, Margaret. Even now, 40 years later, I still live with a lot of cats.

그 뒤로도 우리집에는 늘 고양이가 있었다. 단골 화장품 가게에서 누나가 얻어온 형제 고양이 철수와 영희가 있었고, 시골 삼촌이 데려다주신 삼색고양이 실버도 있었다. 이름만 불러봐도 한참을 부를 수 있을 것 같다. 순자, 키티, 마가렛. 참 많은 고양이들이 살다가 갔다. 그런데 40 년이 훌쩍 지난 지금도 많은 고양이들과 함께 살고 있다.

People get to say and hear a lot of things as they go through life and face different situations. Of those, 99% will be forgotten, but 1% stays forever, stuck in the brain and will remain in memory for a long time. On one hot summer night when Nabi came home in 1970, I woke up at in the middle of the night from thirst. Nabi must've been bored being nocturnal, seeing it get excited and lick the back of my hand as it saw me awake while the whole family was asleep. It was as I was petting Nabi when I felt an inspiration like some intense religious experience that I was going to do something related and good for these lovely babies.

사람이 인생을 살다 보면 많은 말을 하고 또 많은 말을 듣고 여러 상황들과 마주하게 된다. 그중에 99%는 망각하지만 1%는 영원히 뇌리에 박혀 기억에 오래 남게 된다. 1970 년도 Nabi가 집에 온 그 무더운 여름밤에 나는 목이 말라 새벽에 잠에서 깼다. 야행성인 고양이가 가족이 모두 잠들고 심심했던지 날 보고 엄청 반가워하며 연신 내 손등을 핥아줬다. 그때 나도 Nabi를 쓰담아주면서 강렬한 종교적 체험처럼 나는 고양이가 너무 좋고 이 아이들과 관계되는 무언가를 하게 될 것 같다는 영감이 들었다.

I grew up and did various things. I now run a pet shop and live with 4 cats. Tommy, a home-grown Persian chinchilla cat, is a long living cat that's turning 14 this year. The shop houses a family of 3 Bengal cats. I get to meet a lot of great cat moms who take care of cats on the streets as I run the shop. Many stray cats survive thanks to their sacrifice and efforts. Many kittens rescued by cat moms have found many new homes here. It is said that when a cat dies, it goes to the cat planet first and waits for its owner. Oh, my eternal friend who I buried in my heart back at the young age of 5th grade of elementary school; I want to go and tell Nabi, who will be waiting for me. I want to tell you that I have always lived with an atoning heart failing to protect you... That I missed you a lot. That I was so happy to meet you in my childhood. Of the many cats, you were the best!

성인이 되어 여러 일 들을 했지만 지금은 펫샵을 운영하며 고양이 4마리와 함께 살고있다. 집에서 키우는 페르시안 친칠라 고양이 '토미'는 올해 14살 된 장수 고양이다. 가게에는 뱅갈고양이 가족 3마리도 살고 있다. 펫샵을 운영하면서 길 위에서 고양이들을 돌보는 위대한 캣맘들을 많이 만나게 된다. 그분들의 희생과 노력으로 많은 길고양이들이 생명을 유지해간다. 캣맘이 구조해온 아기 고양이들이 여기서 새 보금자리를 많이 찾았다. 고양이는 죽으면 고양이 행성으로 먼저 가서 주인을 기다린다는 말이 있다. 초등학교 5학년 그 어린 나이에 내 가슴에 묻은 나의 영원한 친구. 먼저 가서 나를 기다리고 있을 Nabi 에게 말해주고 싶다. 너를 지켜주지 못해 늘 속죄하는 마음으로 살았다고... 많이 보고 싶었다고. 너를 만나 내 유년 시절이 너무 행복했었다고. 수많은 고양이들 중에 니가 최고였다고!

CHAPTER 4
4 장

Bengal Cat Family Story

벵갈고양이 가족 이야기

We have 3 Bengal cats living in our shop. They are a family - Mommy cat 'Choco', daddy cat 'Bang- Bang', son cat 'Jangunee'. The son, Jagunee, was born here on December 28, 2017, the eldest of seven siblings, boasting its largest head and the largest size.

우리 가게에는 뱅갈고양이 3마리가 살고 있어요. 그들은 가족입니다. 엄마 고양이 '초코', 아빠 고양이 '뱅뱅', 아들 고양이 '장군이'. 이렇게 한 가족이 우리 가게에 상주하고 있답니다. 아들 장군이는 2017년 12월 28일, 7마리 형제 중 첫째 맏이로 제일 큰 머리와 덩치를 자랑하며 여기서 태어났어요.

Daddy cat Bang-Bang and Mommy Choco have a sad story. Shortly after our store opened in August 2016, a man came and offered to donate two Bengal cats. I brought them in and they were so beautiful. Hearing their story, the owner had two kids back home, but it became impossible to take care of the cats as she was battling liver cancer. She felt bad for keeping the cats locked in a room away from the kids. After hearing such a difficult story, I gladly accepted the offer. That's when Choco and Bang-Bang became my family and our shop mascot.

아빠 뱅뱅이랑 엄마 초코는 좀 슬픈 사연이 있어요. 우리 가게를 2016년 8월에 오픈하고 얼마 지나지 않아 한 남자분이 오셔서 뱅갈고양이 한 쌍을 기부할 의사를 밝히셨어요. 그래서 데려왔는데 너무 아름다운 뱅갈부부였어요. 자초지종을 들어보니 그 집에 어린아이 둘이 있는데 사모님께서 간암 투병중이라 고양이들을 돌볼 수 없게 되었다는 거였어요. 어린아이들 때문에 고양이가 매일 문이 잠긴 방안에 갇혀 지내는 게 안쓰럽다고. 딱한 사정을 듣고 흔쾌히 수락하고 그 뒤 초코와 뱅뱅이는 저랑 가족이 되었고, 우리 가게 마스코트가 되었어요.

"Bang Bang" The most handsome cat Bang-Bang. He's a precious one coming all the way from Canada. That must be why he likes Dunkin Donuts too. Never eat a donut in front of Bang-Bang. He'll snatch out of your hand in an instant and eat it. Contrary to his charismatic appearance, he is a talkative, slips and falls often getting the nickname Mr. Troublesome.

뱅뱅) 최고의 미남 뱅뱅이 고향은 캐나다입니다. 물 건너온 귀하신 몸입니다. 그래서 그런지 던킨 도너츠도 좋아 해요. 뱅뱅이 앞에서 도넛을 먹으면 안 돼요. 한순간 낚아채서 자기가 먹어요.
카리스마 있게 생긴 외모와 달리 말이 많은 수다쟁이고 잘 미끄러지고 넘어져서 별명이 허당 뱅 선생입니다.

"Choco" Mommy Cat Choco is a very pretty cat with a small face and a small body. When I first saw Choco, it was so small I thought it was a kitten. I'm so proud that she managed to birth and raise seven babies with such a small body. She loves people, so whenever a customer enters, she's the first to run out and greet them.

초코) 엄마 고양이 초코는 얼굴도 작고 몸도 작은 너무도 이쁜 고양이예요 초코를 처음 봤을 때 너무 작아 새끼 고양인줄 알았어요 저 작은 몸집으로 7마리나 뱅뱅이 새끼를 나아 육아를 얼마나 잘 하던지 너무 대견하고 사랑 스러웠지요 애교도 많아서 손님이 오면 제일 먼저 달려나가 반겨 줍니다.

"Jangunee" The son Jangunee was a gentle cat ever since he was a baby and is still very gentle and good-natured. He resembles his mom Choco with brown pattern and a round face. He's already 4 years old, but I'm not sure how old Choco and Bang-Bang are. I'm guessing around 7 or 8 years old. I pray that my beloved Bengal family, the guardians of our store, won't get sick and will be with me for a long time.

장군이) 아들 장군이는 어릴 적부터 성격이 순둥순둥 해서 지금도 너무 순하고 착한 고양이랍니다. 엄마 초코를 빼닮아 무늬가 갈색이고 얼굴도 엄마처럼 동그랗게 생겼어요. 장군이도 벌써 4살이네요. 그런데 초코랑 뱅뱅이는 정확한 나이는 모르겠어요. 7~8살 정도로 추정하고 있어요. 우리가게의 수호신 사랑하는 뱅갈 가족도 아프지 말고 오래오래 저랑 함께하길 빌어요

CHAPTER 5
5 장

Tommy's Story

토미 이야기

Tommy, a home-raised cat, is a Persian chinchilla male cat born on June 8, 2008. He's and old cat turning 14 years old this year.

집에서 키우는 고양이 토미는 2008년 6월 8일에 태어난 페르시안 친칠라 수컷 고양이입니다. 올해 14 살된 노묘구요.

In the early autumn of 2008, there was a small shop on the Busan Yangjeong Animal Shop Street that only had cats for adoption. I met Tommy for the first time on the way to look at the cats. The owner took care of all the cats in the store floor, but Tommy was too shy and couldn't get along with other cats in the store, always hiding behind the TV. Our eyes met as I took him out behind the TV, and ever since then, we had no interest in other cats. Tommy's fur color has changed a lot now, but it was the color of a squirrel when he was a baby. I couldn't make the decision to adopt him at that time and came back home. I laid down to sleep, unable to stop thinking about him.

2008년 초가을에 부산 양정 애견 가게 거리에 고양이만 분양하는 작은 가게가 있었어요. 그곳에 고양이 구경을 갔다가 토미를 처음 보게 되었죠. 그 집 사장님은 분양하는 고양이들을 가게에 전부 꺼내놓고 관리하셨는데 소심한 토미는 가게 고양이들과 어울리지 못하고 늘 TV 뒤에 숨어 있었어요. TV 뒤에 숨어있는 토미를 데리고 나오는데 토미랑 눈이 딱 마주친 순간 다른 고양이들 에게는 관심이 없어졌어요. 토미의 털 색깔은 지금은 많이 바뀌었는데 어릴 적 털 색깔은 다람쥐 색깔이었어요. 토미를 처음 본 그날은 입양 결정을 못하고 그냥 집으로 왔었는데 자려고 누우면 어찌나 그 모습이 눈에 밟히던지.

I went to the store two more times since then. On my 3rd visit on September 21, 2008, and I brought Tommy home with me. That's how he's become my son and our family for the last 14 years. As Tommy's getting older, he gets insulin shots twice a day due to his diabetes.

I only now realized like a fool on how much comfort Tommy is to me by simply existing next to me. I hope Tommy lives for a long time, beyond 20 years.

그 뒤로 두 번을 그 가게에 더 갔었지요. 3번째 방문한 날이 2008년 9월 21일인데 그날 토미를 데려왔습니다. 그렇게 제 아들이 되었고 우리 가족이 되어서 14년째 함께 살고 있어요.

그런데 요새 토미가 나이가 많다 보니 당뇨병이 들어 하루에 2번 인슐린 주사를 놓아 주어야 한답니다. 토미가 그냥 옆에 있어 주는 것 만으로도 얼마나 큰 위안인지 바보처럼 토미가 아프고 깨달았어요 토미가 20년 이상 오래오래 살았으면 좋겠어요

CHAPTER 6
6 장
Mr. Choi

Question:
"How have you changed raising a pet?"
The first change was love for the living. Love for animals develops into a love for people. From children to the elderly. I get a lot of comfort from my animal friends.

At a glance it seems like we offer protection and love to them, but in reality, they offer us more love and comfort. Human beings are inherently lonely and selfish animals, and pets are a great gift from God to us! It is a great blessing to continue to meet these animal friends.

Mr. Choi with his mother, sisters and brother- September 2022

Mr. Choi shares some love with a rescued kitten.

It brings me joy to see happiness within people's face as they look at the animal friends here. It's the purest and most gleeful expression. It's a moment where they return to the innocence of a child.
It is also rewarding to provide a new home for stray cats living precarious lives. Since I started doing this 6 years ago, I couldn't get a single day off. I come to work here 365 days a year without any breaks. Still, I'm happy to meet these babies every day.
The second change was that I could meet a lot of good people who love animals. It's also fun to meet good people with good hearts, give each other a little help, and make new connections.

첫번째 질문 - 동물을 기른 결과 어떻게 변했나요? 에 대한 대답.

첫 번째 변화는 생명에 대한 사랑이 생겼죠. 동물에 대한 사랑은 사람에 대한 사랑으로 발전합니다. 어린아이부터 노인분들까지. 동물 친구들로부터 많은 위로를 받습니다. 우리가 그들을 보호하고 사랑을 주는 것 같지만 실상은 그들이 우리에게 더 많은 사랑과 위안을 줍니다. 인간이란 본래 외롭고 이기적인 동물인지라 신이 우리에게 준 커다란 선물! 이 동물 친구들을 계속 만날 수 있는 건 커다란 축복입니다.

난 여기서 동물 친구들을 바라보는 사람들의 행복한 표정을 보는 게 너무 기뻐요. 사람들이 그들을 바라볼 때 표정은 가장 순수하고 해맑은 표정이거든요. 동심으로 돌아가는 그런 순간 입니다.

길 위에서 태어나 위태로운 삶을 살아가는 길고양이들에게 새로운 안식처를 제공하는 것도 보람된 일입니다. 난 이 일을 시작하고 나서 6년 동안 휴가가 없어졌어요ㅎ 1년 365일 단 하루의 휴가도 없이 여기로 출근합니다. 그래도 이 아이들을 만날 수 있어 매일 행복합니다.

두 번째 변화는 동물을 사랑하는 많은 좋은 사람들을 만났다는 겁니다. 선한 마음을 가진 좋은 분들을 만나고 서로에게 약간의 도움을 주고받으면서 새로운 인맥을 넓혀가는 것도 재미있는 일입니다.

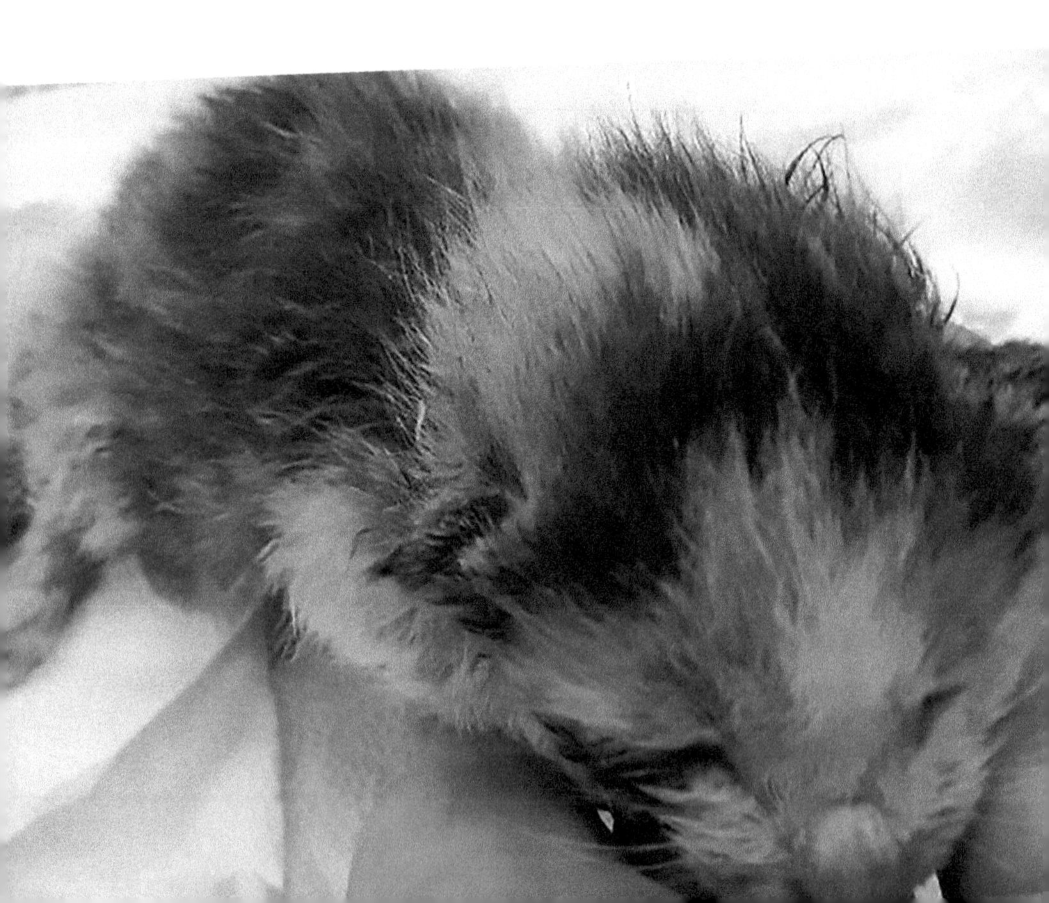

Question_

"Who are you today?"
Ah, this question is a bit difficult to answer. It'd get too serious if I take a philosophical approach.
Let's just say 'baby delivery stork'.

두번째 질문 - 당신은 오늘 누구인가?
아 이 질문은 좀 어렵습니다.
철학적으로 접근하면 너무 심각해질 것 같고.
그냥 '아기배달부 황새' 라고 해둡시다

CHAPTER 7
7 장

How I met Mr. Choi and "Ty"

내가 어떻게 Mr.Choi를 만났는지 그리고 "태풍"

I remember distinctly the day I stopped in front of the "Cat Paradise" pet store in Busan, S. Korea. I was drawn to three very large cats in the window. I had never seen one outside of pictures.

한국 부산에 있는 "고양이 천국" 애완동물가게 앞에서 멈췄던 날을 선명하게 기억한다. 창문에 있는 큰 고양이 세 마리에게 관심이 끌렸다. 이러한 고양이들을 사진 밖에서는 한 번도 본 적이 없다.

I popped inside and had a closer look. The pet store owner, Mr. Choi was very kind, and I did not have a pet at that time, so there was no need to buy anything. Yet, I found a chew toy for my son's dog and brought that home as a souvenir from my visit there.

Family pug- "Ponyo"

가게 안으로 들어가서 고양이들을 자세히 보았다. 애완동물가게 주인인 Mr.Choi는 매우 친절했고, 그 당시 애완동물을 키우지 않았기 때문에 아무것도 살 필요가 없었다. 하지만, 내 아들의 강아지를 위한 물어 뜯고 노는 장난감을 발견했고, 가게를 방문했을 때 기념품으로 그것을 사가지고 집으로 가져왔다.

It was maybe a year later that my son opened his English academy two blocks from Mr. Choi's 'Cat Paradise' and I was reminded of the beautiful cats in the window. I had moved close by and began teaching English for my son's academy and passed by the pet store every day on my way to and from work. By this time, I had a reason to stop in at least once a month to buy food for my son's

My son Mike with his wife Summer and Ponyo

dog; Ponyo. I inherited Ponyo who is a chubby old pug, because my son's new bride was afraid of
dogs.

아들이 Mr.Choi 의 "고양이 천국" 가게에서 두 블록 떨어진 곳에 영어학원을 연 것은 그로부터 1 년이 지난 뒤였고, 창문에서 보았던 아름다운 고양이들이 생각났다. 가게 근처로 이사해 아들 학원에서 영어를 가르치기 시작했고 매일 출퇴근길에 애완동물 가게 앞을 지나다녔다.
이때까지 아들의 강아지 포뇨에게 줄 음식을 사기 위해 적어도 한 달에 한 번은 가게에 들러야 할 이유가 있었다.
며느리가 개를 무서워해서 통통하고 늙은 강아지 퍼그 포뇨를 물려받았다.

Anyways, it was mid-September of 2021 when I left my roof top apartment that overlooks a wooded lot that is overgrown with trees and indigenous ivy, flora, and feral cats. On this particular day, I was walking by the lot on my way to an appointment and shopping when I spotted a pink towel with a black furry thing small enough to fit in the palm of my hand. It was typhoon season and had rained all night and morning. I wasn't sure what the creature was, a rat maybe? I couldn't tell even while looking upon it closer and it was certainly dead...whatever the poor thing was.

2021 년 9 월 중순 나무와 담쟁이덩굴,
꽃들, 들고양이들이 있는 우거진
숲이 내려다보이는 옥탑방을 나왔다.
이 특별한 날, 쇼핑하러 약속장소에
가고 있을 때 손바닥에 들어갈 만큼
작은 검은 털로 덮인 물건이 있는
분홍색 수건을 발견했다. 태풍이 오는
계절이었고 밤과 아침 내내 비가
내렸다. 살아 있는 것인지 무엇인지 잘
몰랐다. 혹시 쥐였을까? 가까이서 봐도
알 수 없었고, 불쌍한 것이 무엇이든
간에 그것은 확실히 죽어 있었다.

I decided to bury it properly once I returned home, which wasn't until five hours later. When I returned home, I went upstairs to drop off my shopping bags and change clothes. I heard noises coming from the alley way that separates my roof house from the wooded lot. I peered over the top of my roof railing and noticed a group of high school boys poking at the furry creature that lay lifeless on the towel. I scolded them in Korean and grabbed my garden trowel to go bury the poor little creature, even if it was a rat...it deserved peace.

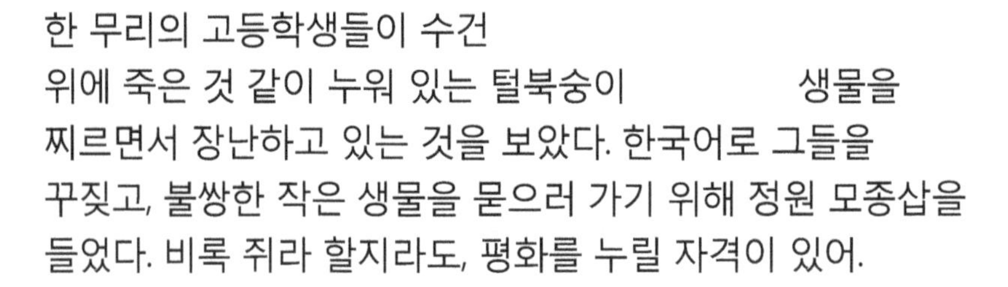

5 시간 지난 후 집에 돌아오면 그것을 제대로 묻기로 결심했다. 집에 돌아와서 쇼핑백을 내려놓고 옷을 갈아입기 위해 위층으로 올라갔다. 옥탑방과 숲이 우거진 곳을 가르는 골목길에서 나는 소음을 들었다. 지붕 난간 위쪽을 들여다 봤는데 한 무리의 고등학생들이 수건 위에 죽은 것 같이 누워 있는 털북숭이 생물을 찌르면서 장난하고 있는 것을 보았다. 한국어로 그들을 꾸짖고, 불쌍한 작은 생물을 묻으러 가기 위해 정원 모종삽을 들었다. 비록 쥐라 할지라도, 평화를 누릴 자격이 있어.

The high school boys had left the scene and I made my way to the fence line to dig a mall hole for the black furry animal. It was pouring down rain and very chilly outside. I began to dig a small hole and reached to place the wet creature into its final resting place.

고등학생들은 그곳을 떠났고 검은 털로 덮인 동물을 위한 작은 구멍을 파기 위해 울타리로 갔다. 비가 억수같이 내리고 있었고 밖은 매우 쌀쌀했다. 작은 구멍을 파기 시작했고 젖은 생물을 마지막 안식처에 보내기 위해 손을 뻗었다.

Meeww..meeuu...tiny sounds squeaked from the little body on the pink towel and I realized that this baby was still alive and asking for help. I scooped the towel and furry baby and sprinted up my roof stairs to grab a dry towel to wrap it in. At this point, I realized it was a kitten and not more than a week old. I ran 8 blocks to the veterinary hospital near my home and was relieved that there was a vet who spoke English and she inspected the kitten.

야옹.. 야옹... 분홍색 수건 위의 작은 몸에서 작은 소리들이 들렸고 이 새끼가 아직 살아있고 도움을 요청하고 있다는 것을 깨달았다. 수건과 털북숭이 새끼를 들어서 옥상 계단을 뛰어올라 그것을 싸기 위해 마른 수건을 움켜쥐었다. 이 때 그 새끼가 태어난 지 일주일도 안 된 아기 고양이라는 것을 깨달았다. 여덟 블록을 달려서 집 근처 동물병원으로 갔는데 다행히 영어를 할 줄 아는 수의사가 있었고 새끼 고양이를 검사해 주었다.

Baby " Ty"
10 days
old

The vet said that the kitten was about 7 days old and had severe dehydration and hyperthermia. The kitten was given intravenous fluids and warmed up for a few hours. The doctor warned me that the kitten may not live through the night. I was given instructions to bottle feed the baby every two hours for the next few weeks if it lived.

수의사는 이 고양이가 태어난 지 7 일 정도 되었고 심한 탈수와 온열 증세를 보였다고 말했다. 아기 고양이에게 정맥주사를 맞히고 몇 시간 동안 몸을 녹여줬다. 수의사는 나에게 그 고양이가 오늘 밤을 못 넘길지도 모른다고 경고했다. 새끼 고양이가 산다면 앞으로 몇 주 동안 두 시간마다 병으로 젖을 먹이라고 했다.

The little kitten was a fighter and quickly learned to drink from a bottle every 2 hours and the amount increased as the weeks progressed. I brought the kitten in to the veterinarian's office every week for kitten day care. I had to work, and the baby needed to eat every 2 hours. Eventually, the little furball allowed me to sleep 5 hours during the night and his feedings became longer durations in between bottles.

그 작은 고양이는 잘 이겨냈고 매 2 시간마다 병으로 마시는 법을 빠르게 배웠고 먹는 양은 몇 주가 지날수록 증가했습니다. 매주 아기 고양이를 수의사 사무실에 있는 고양이 탁아시설에 맡겼다. 나는 일을 해야 했고, 아기 고양이는 2 시간마다 밥을 먹어야 했다. 마침내, 그 작은 털뭉치는 내가 밤에 5 시간 동안 잘 수 있게 해주었고 밥 먹는 사이 간격이 점점 길어졌다

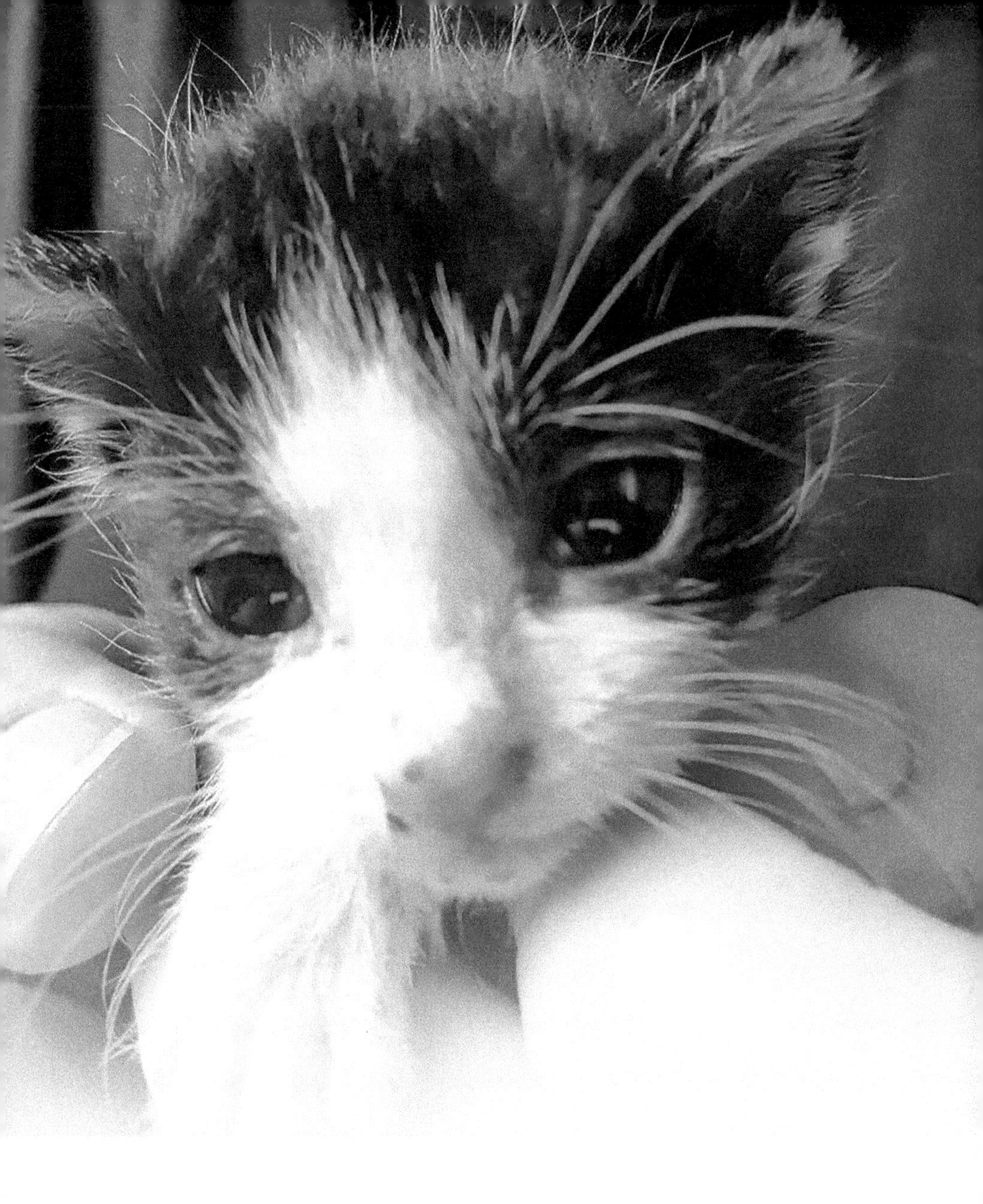

Since the little kitten was abandoned and left to die in the middle of a typhoon, I fondly named him, "Ty." I also have an eight-year-old pug and her name is "Ponyo." Ponyo wasn't sure about the little "meeeyyeeooowwws" that kept her from a solid fourteen-hour sleep schedule, yet, as the kitten grew the two became playmates.

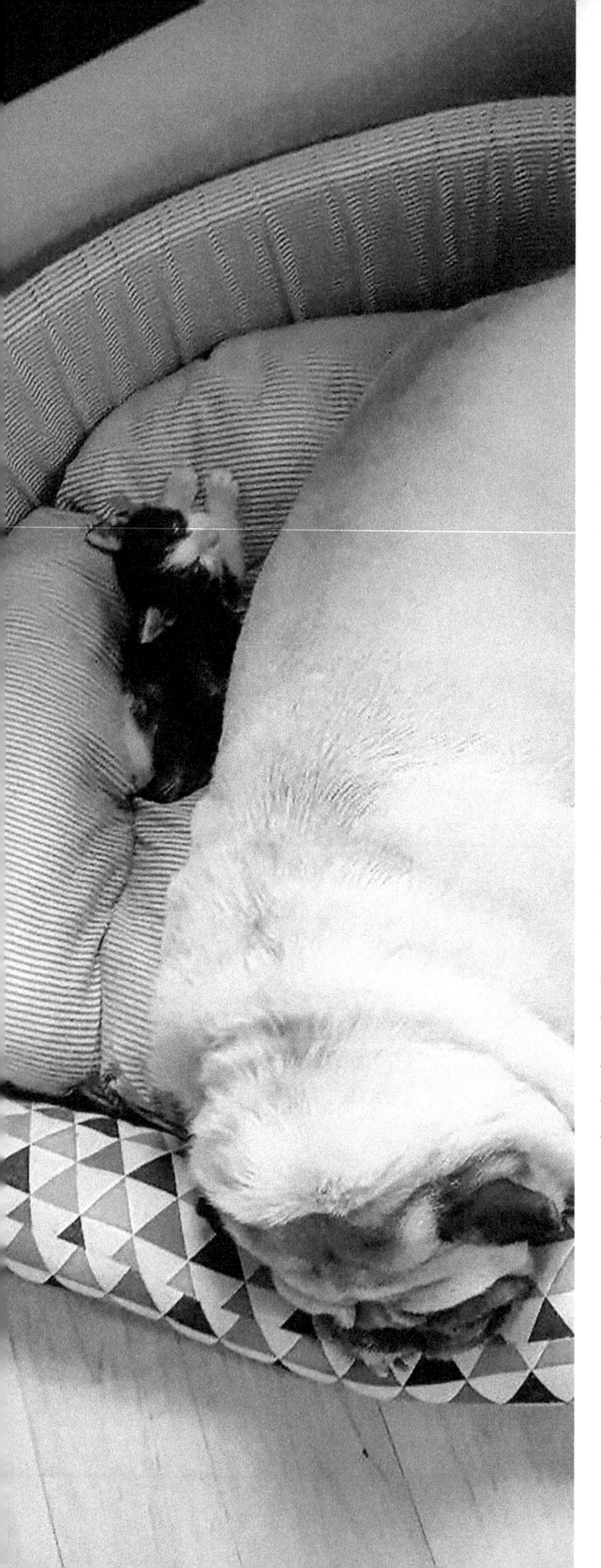

태풍이 왔을때 이 아기 고양이가 버려져 죽게 되었기 때문에, 그의 이름을 "타이" 라고 애정을 담아 지었다. 8 살 된 퍼그 강아지를 가지고 있고, 강아지의 이름은 "포뇨"이다. 포뇨는 작은 "야옹이" 로 부터 자신의 14 시간의 확실한 수면 스케줄 지키는 것을 확신하지 못했지만, 고양이가 자라면서 둘은 친구가 되었다.

Here is where my journey began with Mr. Choi.

Ty had just turned five weeks old, and I knew that I would not be able to keep the little boy for several reason. I was on my way to kitty day care at the veterinarian's office, when I spontaneously decided to drop by the pet store.

이곳이 Mr.Choi와 나의 여정이 시작된 곳이다.
타이는 태어난 지 5 주가 지났고, 몇 가지 이유로 그 어린 고양이를 데리고 있을 수 없다는 것을 알고 있었다. 수의사 사무실에 있는 고양이 탁아소에 가는 도중, 애완동물 가게에 잠시 들르기로 결정했다.

Mr. Choi does not speak English, and I barely speak Korean. I showed him the kitten that was tiny, he could travel in my lunch box. Mr. Choi used a translator app, and I told him the rescue story about the kitten. I asked him if he could help me to find a home for Ty when he was old enough. Mr. Choi told me 'Yes," and to return in 3 weeks when Ty was 8 weeks old.

Mr.Choi는 영어를 할 줄 모르고, 나는 한국말을 거의 하지 못한다. 그에게 내 도시락통에 넣어 돌아 다닐 수 있는 만큼 작은 고양이를 보여줬다. Mr.Choi는 영어 번역기 앱을 사용했고 그에게 고양이 구조에 대한 이야기를 들려주었다. 그에게 고양이가 충분히 나이가 들었을 때 새집 찾는 것을 도와줄 수 있는지 물었다. Mr.Choi는 '네' 라고 말했고, 타이가 태어난 지 8 주가 되었을 때인 3 주 후에 다시 오라고 했다.

During the next 3 weeks, Ty, Ponyo and I had our daily routine. Bottle, clean the kitty house, cuddle and then a game of cat and pug. Ty was so smart, he new how to use a litter box with little instruction and began eating solids. He didn't like baths, yet, once a week he got a little soak, shampoo and blow dry. He still wasn't very good with cleaning his pieces and parts. Eventually, he grew proficient in this area too.

다음 3 주 동안, 타이, 포뇨와 나는 같이 하는 하루 일과가 있었다. 우유병, 고양이 집 청소, 포옹, 그리고 고양이와 퍼그 게임. 타이는 너무 똑똑해서, 거의 훈련 없이 고양이 변기 사용하는 방법을 배웠고 고형 음식물을 먹기 시작했다. 타이는 목욕을 좋아하지 않았지만, 일주일에 한 번 약간의 물에 몸을 담그고, 샴푸를 하고, 드라이를 했다. 타이는 여전히 씻는 것에 그다지 능숙하지 않았다. 하지만 결국, 타이는 이 것도 능숙해졌다.

It was so hard to even think of giving this sweet little baby away. Afterall, I was imprinted as this little love's people momma. Sadly, I knew I would have to let go, so that this little baby could have a happy life.

이 귀여운 아기 고양이를 보낸다는 것은 생각조차 하기 힘들었다. 결국, 나는 이 작고 사랑스런 고양이의 사람의 엄마로 각인되어졌다. 슬프게도, 이 어린 아기 고양이가 행복한 삶을 살 수 있도록 보내야 한다는 것을 알게 되었다.

Week 8 had arrived, and I had an appointment with Ty's doctor for his check up and first round of kitten vaccinations. Now, he was ready to debut in the window at the "Cat and Dog Paradise" pet store. Mr. Choi had a cubical all prepared for Ty. I had his little stuffed animals, food, litter and favorite blanket to help him transition to his new surroundings.

8 주차가 되었고, 타이의 수의사 검진과 1 차 아기 고양이 예방 접종을 예약했다. 이제 타이는 "고양이와 개 천국" 애완동물가게의 창문에 데뷔할 준비가 되었다. Mr.Choi는 타이를 위한 유리 침실을 준비했다. 타이가 새로운 환경에 잘 적응하는 것을 돕기 위해 작은 인형, 음식, 변기통 및 좋아하는 담요를 준비했다.

The Bengal family live at the pet store and all the glass cubicles are temperature controlled with enough room for everything they need. Ty could see the other cats and I feel it sparked his curiosity as the only other cat he may have remembered was the first week of life with his mother cat.

벵골 가족은 애완동물 가게에서 살고 있었고 모든 유리 침실은 그들이 필요한 충분한 공간으로 온도 조절이 되었다. 타이는 다른 고양이들을 볼 수 있었고 타이가 엄마 고양이를 생후 첫 주 동안 본 유일한 고양이로 기억 할 수 있기 때문에 그것이 타이의 호기심을 자극했다고 생각한다.

Mr. Choi told me I could visit as often as I wanted. I was hesitant at first, because I felt Ty would need to detach from me and start opening to other people. Mr. Choi was so wonderful with all the cats. He took time to hold and play with Ty. I stopped by after work and rubbed noses with Ty and played with him.

Mr.Choi는 내가 원하면 언제나 방문할 수 있다고 말했다. 나는 처음엔 망설였다. 왜냐하면 타이가 나에게서 떨어져서 다른 사람들에게 마음을 열어야 할 것 같다고 생각했다. Mr.Choi는 모든 고양이들에게 아주 잘해 주었다. 그는 틈틈히 시간을 내서 타이와 함께 놀아주었다. 나는 퇴근 후에 들러서 타이와 코를 비비며 같이 놀아주었다.

A few weeks had gone by, and Ty was becoming more handsome by the day! Mr. Choi was very fussy about 'who' would be the right family for Ty, long term. Finally, Ty's forever new people family took him to his new home.

몇 주가 지나고, 타이는 날이 갈수록 더 잘생겨지고 있었다! Mr.Choi는 장기적으로 누가 타이에게 적합한 가족인가에 대해 매우 까다롭게 생각했다. 마침내, 타이의 영원한 새로운 가족이 타이를 새로운 집으로 데려갔다.

The family who adopted him agreed to the pet store adoption policy that all kittens must be neutralized at the appropriate age. Ty wasn't alone, he was met by another rescue cat that the family had also adopted a few months before. I was so delighted when Mr. Choi forwarded picture and video updates of Ty playing and cat napping in his very luxurious bed. What a grand life!

타이를 입양한 가족들은 모든 고양이들은 적절한 나이에 중성화 시켜야 한다는 애완동물가게 입양 정책에 동의했다. 타이는 혼자가 아니었고, 그 가족이 몇 달 전에 입양한 또 다른 구조된 고양이를 만났다. Mr.Choi가 매우 호화로운 침대에서 놀고 있는 타이의 사진과 비디오 업데이트를 보내줬을 때 나는 매우 기뻤다. 정말 멋진 인생이군요!

Ty's path in this world could have ended too early or led to a life of a feral which appears to be a difficult life. He is one lucky cat!

이 세상에서 타이의 운명은 너무 일찍 끝나거나 어려운 삶으로 보이는 야생의 삶으로 이어질 수도 있었다. 그는 운이 좋은 고양이다!

Ty's new family had another playmate to share time with and fish tank adventures!

Ty 의 새로운 가족은 물고기 탱크 모험과 시간을 공유 할 수있는 또 다른 놀이 친구가있었습니다!

Ty lives the life of a very loved and Handsome prince!

타이는 매우 사랑받는 사람의 삶을 살고 있습니다. 잘 생긴 왕자!

My heart is so joyful to have received the recent pictures Of Ty. He is one years old now, loved, happy, healthy and truly blessed by his family.

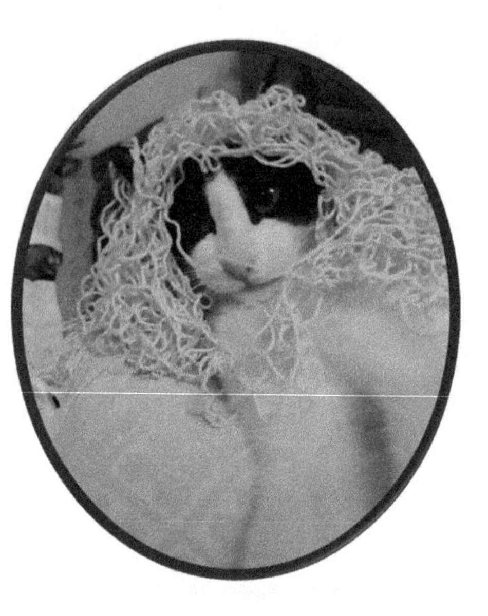

내 마음은 최근 사진을받은 것을 너무 기쁘게 생각합니다.
타이의. 그는 지금 한 살이고, 사랑받고, 행복하고 건강하며, 가족에 의해 진정으로 축복 받았다.

Live a long, fabulous life Ty- always show your family how much you love them!

긴 멋진 삶을 살아라- 항상 당신이 그들을 얼마나 사랑하는지 가족에게 보여주십시오!

CHAPTER 8
8장

"Tria" A Collaborative Mission"

트리아" 공동 임무

My mission with Mr. Choi did not end with Ty. I vowed to capture one feral cat a month and take them to the veterinarian for medical checks and neutralization. I purchased a cat trap and gained advice from Mr. Choi to put some sardines on the dish that leads into the trap. I had my sights set on a three colored cat who came to eat food on my roof.

Mr.Choi와의 임무는 타이로 끝나지 않았다. 한 달에 한 마리씩 야생 고양이를 포획해 수의사에게 데려가 건강검진과 중성화 수술을 받게 하겠다고 다짐했다. 고양이 덫을 구입했고 덫을 놓는데 정어리를 좀 넣으라고 Mr.Choi가 조언을 해 주었다. 지붕에 음식을 먹으러 오는 세 가지 색깔의 고양이에게 관심을 가지게 되었다.

I am lucky enough to have a small house on a roof which is located across from a vacant lot that is unbuildable. The lot is overgrown with trees, bushes, and feral cats. I've been told by several Korean folks that they do not like people who feed the feral because they reason that it breeds more cats. However, as a foreigner, I grew up on a farm with 40 feral barn cats and a strong dislike for animals starving.

운이 좋게 집을 지을 수 없는 공터 맞은편에 위치한 옥탑방에 살고 있다. 그 부지는 나무, 덤불, 야생 고양이들로 가득 차 있다. 몇몇 한국인들로부터 야생 고양이들이 더 많이 번식한다는 이유로 야생 고양이에게 먹이를 주는 사람을 좋아하지 않는다고 들었다. 하지만 외국인으로 40 마리의 야생 헛간 고양이들과 함께 농장에서 자랐고 동물들이 굶는 것을 매우 싫어했다.

There are other 'cat moms' that feed the wild cats through the fence. I witnessed a kind lady with a flashlight at night feeding the cats. I almost think it was this woman who left Ty on the pink towel, so that I could find him. I am grateful, the pink towel symbolized her maternal care. For whatever reason she could not take care of the tiny baby and the mother cat was not returning; I am grateful that the universe tasked me with rescuing the baby kitten. I can honestly say that Ty showed me more love in 8 weeks then a lot of my family members have in years.

울타리를 통해 야생 고양이들에게 먹이를 주는 다른 '고양이 엄마'들이 있다. 밤에 손전등을 들고 고양이들에게 먹이를 주는 친절한 여성을 목격했다. 이 여자가 타이를 핑크 타월 위에 놔두고 가서 내가 타이를 찾을 수 있었던 것 같은 생각이 들었다. 분홍색 수건이 그녀의 모성애를 상징 한 것 같아 감사하게 생각한다. 어떤 이유로든 엄마 고양이는 작은 아기고양이를 돌볼 수 없었고 엄마 고양이는 돌아오지 않았다; 우주가 아기 고양이를 구하는 일을 나에게 맡긴 것에 감사한다. 솔직히 타이가 8 주 동안 내 가족들보다 더 많은 사랑을 보여줬다고 말할 수 있다.

Back to the three colored cat. I noticed her last year on the roof across from mine. She had one white and orange kitten and chose to raise it in winter, under an eave. I got crafty and made meatballs from kitten food and wet food and would do my best baseball throw from my roof top to the one courtyard away. Most the time I landed them, and the mother and baby would eat. I was able to watch the kitten grow up.

다시 세 가지 색깔의 고양이로 돌아가보자. 작년에 내 집 건너편 지붕에 있는 고양이를 보았다. 고양이는 흰색과 주황색 새끼 고양이 한마리가 있으며 겨울에 지붕 처마 아래서 키우기로 결정했다. 공들여서 고양이 음식과 젖은 음식으로 미트볼을 만들어 내 지붕 꼭대기에서 마당 거리만큼 있는 다른 지붕으로 최선을 다해 야구 투구로 던져 주곤 했다. 대부분 미트볼을 성공적으로 던져서 엄마와 아기 고양이가 먹곤 했다. 이 새끼 고양이가 자라는 것을 볼 수 있었다.

Spring rolled around after Ty was adopted and the three colored cat returned to the roof across from mine and she was VERY pregnant. I had my trap and expressed my intentions to Mr. Choi. He volunteered that if I was able to trap her, I could bring her to the pet store.
타이가 입양되고 세 가지 색깔의 고양이가 내 맞은편 지붕으로 돌아온 후 봄이 왔다. 그 고양이는 임신중이었다. 덫을 놓고 Mr.Choi에게 내 의도를 말했다. 그는 내가 그 고양이를 잡을 수 있다면 그 고양이를 애완동물 가게로 데려 올 수 있다고 자원했다.

The next day I set the trap and sardines out and by morning, the three colored momma cat was trapped in the cage. I managed to transfer her into Ponyo's large carrier and a soft blanket. I carried her to Mr. Choi's pet store where he had a private cubical ready for a new momma tenant.

다음날 나는 정어리를 넣은 덫을 놓았고, 아침에 보니 그 세 가지 색깔의 엄마 고양이는 우리 안에 갇혔 있었다. 그 고양이를 포뇨의 커다란 캐리어 안에 있는 부드러운 담요로 간신히 옮겼다. 그 고양이를 Mr.Choi의 애완동물 가게로 데려갔고, 그곳에서 Mr.Choi는 새로운 엄마 고양이를 위한 개인 침실을 준비 해 두었다.

One week later, the momma cat gave birth to 6 kittens. Only 3 babies survived, and Mr. Choi and I were sad for the ones we lost. Yet, very happy for the 3 kittens who were born and would be safe with their mother until they turned 8 weeks old.

일주일 후, 엄마 고양이는 6 마리의 새끼를 낳았다. 겨우 세 마리의 아기 고양이들만이 살아남아서 Mr.Choi 와 나는 잃은 아기 고양이들 때문에 슬퍼했다. 하지만 태어난 아기 고양이 세 마리가 8 주가 될 때까지 엄마 고양이와 함께 있어 매우 행복했다.

I named the three colored cat "Tria" for 'tri' color. Over the next couple months, I visited and helped Mr. Choi where I could. Tria was not receptive to humans and hissed a fit every time Mr. Choi tried to change the litter box, feed her, or pull the babies out for their eye drops and medicine (they had little runny noses). Luckily, Mr. Choi has a friend who runs a cat sanctuary and is very familiar with handling wild cats.

이 세 가지 색깔의 고양이에게 세가지 색 '트리아'라는 이름을 붙여주었다. 그 후 몇 달 동안, 내가 할 수 있는 한 Mr.Choi를 찾아뵙고 도와줬다. 트리아는 인간에게 익숙하지 않아 Mr.Choi가 변기통을 갈아주거나 먹이를 주거나 아기 고양이들을 끌어내 안약과 약을 먹일 때마다 (아기 고양이들이 약간 콧물이 났었다.) 화를 냈다. 다행히 Mr.Choi 는 고양이 보호소를 운영하는 친구가 있어 야생 고양이를 다루는 데 매우 익숙했다.

It was during this time that I suggested to Mr. Choi that we write this book. He is so humble, that he doesn't think that what he does is anything special. I disagree. Mr. Choi is a local hero in my eyes. He has lost count of how many rescue cats and kittens he has found homes for and medical care.

내가 Mr.Choi에게 이 책을 쓰자고 제안한 것도 이 시기였다. 그는 너무 겸손해서 자신이 하는 일이 별로 특별하다고 생각하지 않았다. 나는 이에 동의하지 않는다. 내 눈에는 Mr.Choi가 지역 영웅이다. Mr.Choi는
그가 얼마나 많은 구조된 고양이와 새끼 고양이들을 위한 집을 찾아주고 치료해 주었는지를 모른다.

Eventually, all the kittens found loving homes and neutralization. Tria also was spayed at the appropriate time and recovered in her warm cubicle at the pet store. I paid for her neutralization as this was my mission, and the kittens were a bonus.

결국, 모든 고양이들은 사랑스런 집을 찾았고 중성화 수술을 받았다. 트리아 역시 적절한 때에 중성화 수술을 받았고 애완동물 가게의 따뜻한 침실 안에서 회복되었다. 이것이 나의 임무였기
때문에 그 고양이의 중성화 수술 비용을 지불했고, 새끼 고양이들은 보너스였다.

On a beautiful spring day, I took Ponyo's carrier back to the pet store and Tria was loaded in. Healthy, spayed and unable to be domesticated, we brought her back to my roof where I had caught her four months before. Mr. Choi opened the carrier door and Tria was reluctant to leave it. She did however, and in a split second she remembered her roof top neighborhood. She sprang from my roof to the next and disappeared.

아름다운 봄날, 포뇨의 캐리어를 가지고 애완 동물 가게로 돌아와서 트리아를 실었다. 건강하고, 중성화 되고, 길들여질 수 없는 상태인 그 고양이를 4 개월 전에 잡았던 내 지붕으로 데려왔다. Mr.Choi가 캐리어 문을 열자 트리아는 자리 뜨는 것을 주저했다. 하지만 그 고양이는 자리를 떴고, 곧 이곳이 자신의 옥상 꼭대기 동네인것을 기억했다. 내 지붕에서 다음 지붕으로 뛰어내려 사라졌다.

It took a few weeks before I saw Tria again on the roof across from me where I tossed meatballs to her and her kitten the year before.

몇 주가 지나서야 건너편 지붕에서 트리아를 다시 보게 되었다. 그곳은 작년에 그 고양이와 아기 고양이에게 미트볼을 던져 준 장소였다.

I am happy to report that she comes to dine on my roof three times a day along with 2 others that I know of. Her kitten from last year is one of my frequent diners, and soon, I will set my trap and he will begin a new adventure.

그 고양이가 내가 아는 다른 두 고양이와 함께 하루에 세 번 내 지붕에서 식사하러 온다는 것을 알리게 되어 기쁘다. 작년 그 고양이의 새끼 고양이가 나에게 자주 식사하러 오는 고양이 중의 한 마리이고, 내가 덫을 놓을 것이고, 그 고양이는 새로운 모험을 시작할 것이다.

CHAPTER 9
9장
The Mission Continues-

임무는 계속된다.
Final Thoughts
마지막 생각

It has been an active year for Mr. Choi and I. Since Ty met Mr. Choi and found him a forever family, many other litters of kittens, momma cats and their kittens have been taken in to stay at the "Cat Paradise," gain medical care, neutralization, and caring homes.

Mr.Choi와 나에겐 바쁜 한 해였다. 타이가 Mr.Choi를 만나 영원한 새 가족을 찾은 이후, 버려진 엄마 고양이들, 아기 고양이들이 진료, 중성화 수술, 돌봄을 받을 수 있는 "고양이 천국"으로 옮겨 졌다.

I am still scolded by the local people for feeding the feral cats and in their eyes contributing to the problem. However, I do not see it that way. They are living beings and have the same desires we have. Food, water, shelter, and a little love would be nice too.

나는 여전히 야생 고양이들에게 먹이를 준다고 지역 사람들에게 혼나고 그들의 눈에 문제거리로 보인다. 하지만, 나는 그것을 그렇게 보지 않는다. 고양이들은 살아 있는 것이고 우리가 가지고 있는 것과 같은 욕망을 가지고 있다. 음식, 물, 쉼터 그리고 약간의 사랑도 좋을 것이다.

Although, the cats who roam the vacant land next to my roof house, are numerous; I have to do the math and think of all the male cats that didn't help create another litter of kittens because people like Mr. Choi and I. And the mother cats with their babies who have been captured by people like me and taken to veterinarian hospitals, or pet stores like

Mr. Choi's, for care and placement.

비록 내 옥탑방 옆 공터를 배회하는 고양이들이 많지만, 나는 계산을 해야 했다. Mr.Choi와 나 같은 사람들 때문에 고양이를 번식을 못하는 모든 수컷 고양이들. 그리고 나 같은 사람에게 잡혀 수의사 병원이나 Mr.Choi의 애완동물 가게 같은 곳으로 옮겨져 보살핌과 배치를 받는 아기 고양이 엄마들.

Also, don't forget the Korean 'cat moms' who travel out late at night with a flashlight to feed the strays to avoid ridicule from their neighbors. We are all in service to these magnificent animals. They didn't ask to be here, yet here they are.

또한, 이웃들의 비웃음을 피하기 위해 밤늦게 길 잃은 고양이들에게 먹이를 주기 위해 손전등을 들고 나오는 한국의 '고양이 엄마들'을 잊지 마세요. 우리는 모두 이 훌륭한 동물들을 위해 봉사하고 있다. 고양이들은 저희에게 여기 오라고 하지 않았지만, 그들은 여기에 있다.

People, animals, plants, and the earth are all living things. Have we lost our compassion towards living creatures, or any living thing? What does that say about one's character? I wonder. If you hear a baby cry, any baby, do you not feel something? Do you block the sound and thought out? Do you do what 'everyone' else is doing? Do you do what you are told you 'should do' or do you act with your own accountability?

사람, 동물, 식물, 그리고 지구는 모두 살아 있는 것이다. 우리는 생물이나 어떤 생물에 대한 연민을 잃었는가? 그것은 사람의 성격에 대해 무엇을 말해주는가? 궁금하다. 아기가 우는 소리가 들리면, 아무 아기나, 뭔가 느끼지 않나요? 당신은 소리를 차단하고 생각을 하지 않습니까? 당신은 '모두'가 하는 일을 하나요? 당신은 '해야 한다'는 말을 듣는 것들을 하나요, 아니면 책임감을 가지고 행동합니까?

Life is about choices. I chose to be part of the solution and not the problem. There are local heroes everywhere and it starts with your heart and not your head.

인생은 선택에 관한 것이다. 나는 문제가 아닌 해결책의 일부가 되는 것을 선택했다. 모든 곳에 지역 영웅들이 있고 그것은 머리가 아니라 마음에서 시작한다.

I hope that Mr. Choi's story inspires you to 'be the change.' You don't need a cape like Superman or a magic wand like Tinker Bell. You don't have to save the world, just a small kitten size of it.

Mr.Choi의 이야기가 ' 변화 되어라' 는 영감을 주길 바란다. 슈퍼맨 같은 망토나 팅커벨 같은 마술 지팡이는 필요 없다. 당신은 세상을 구할 필요가 없다. 단지 작은 고양이 크기일 뿐이다.

It just takes courage to do the right thing, every day. I believe in you. Now go make some magic!

매일 옳은 일을 하기 위해서는 용기가 필요하다. 난 당신을 믿는다. 이제 가서 마술을 부려보세요!

About Me/Author: 작가소개

Mr. Choi

Sungkyu Choi (9th June 1967, 54 years old unmarried) was born in Donglae, Busan. He graduated Donglae Elementary school, Naeseung Middle school, and Dongin Highschool under his father who worked a civil servant. After his military service he was influenced by his second eldest sister and spent more than 20 years as a musician. After retiring he ran a franchise fried chicken restaurant 'Gcova' for 4 years and now running a pet shop 'KittyBark' for the last 6 years.

최성규(1967 년 6 월 9 일생, 54 세, 미혼)는 부산광역시 동래 출생으로 공무원이셨던 아버지 슬하에서 동래초등학교, 내성중학교, 동인고등학교를 졸업했다. 군 제대 후 둘째 누나의 영향으로 음악 연주가로 20 년 이상 생활했다. 은퇴 후 프랜차이즈 지코바 치킨집을 4 년 운영 후 지금의 애완동물가게 '야옹이멍멍해봐'를 6 년째 운영 중이다.

About Elizabeth O'Carroll
엘리자베스 오캐롤 소개

Elizabeth O'Carroll is a world traveler, ESL Teacher, Rehabilitation Counselor and Minister of Metaphysics. She finds limitless inspiration through the many beautiful souls who have graced her path in life. Everywhere, there is an amazing story waiting to be written.

엘리자베스 오캐롤 (Elizabeth O'Carroll)은 세계 여행자, ESL 교사, 재활 카운슬러 및 형이상학 장관입니다. 그녀는 인생에서 그녀의 길을 은혜 한 많은 아름다운 영혼을 통해 무한한 영감을 얻습니다. 모든 곳에서 놀라운 이야기가 쓰여지기를 기다리고 있습니다.

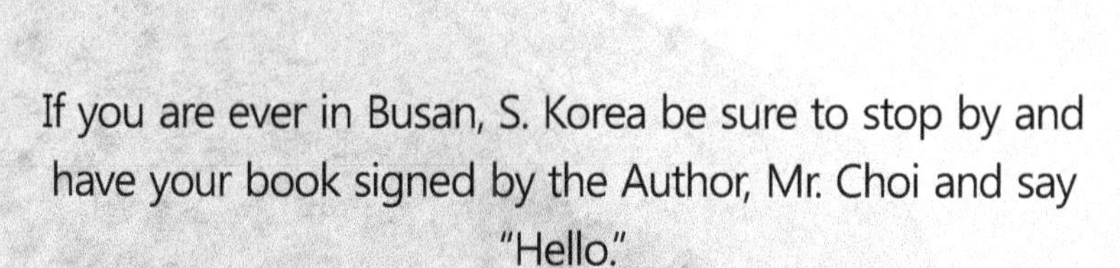

If you are ever in Busan, S. Korea be sure to stop by and have your book signed by the Author, Mr. Choi and say "Hello."
We hope you were inspired by this short story and that in your own way, spread some love and kindness to animals and each other.

혹시 부산에 계시다면, 한국에 들러 저자 최 씨가 서명한 책을 가지고 "안녕하세요"라고 말하십시오.
이 단편 소설에서 영감을 얻었고 나름대로 동물과 서로에게 사랑과 친절을 전하기를 바랍니다.

Reference and Photo Credits:

The Starfish Story: one step towards changing the world | EventsForChange (wordpress.com)

Photo by Peter Lastra on Unsplash
<ahref="https://unsplash.com/@peterlaster?utm_
source=unsplash&utm_medium=ref erral&utm_
content=creditCopyText">Pedro Lastra</a> on <a
href="https://unsplash.com/s/photos/starfish?utm_
source=unsplash&utm_medium=r eferral&utm_
content=creditCopyText">Unsplash</a>

Photo by Taylor Beach on Unsplash
<ahref="https://unsplash.com/@taylor65s?utm_
source=unsplash&utm_medium=refer ral&utm_
content=creditCopyText">Taylor Beach</a> on <a
href="https://unsplash.com/s/photos/starfish-on-a-
beach?utm_source=unsplash&utm_medium=referral&utm_
content=creditCopyText"> Unsplash</a>

" Chuseok concept in flat design image: Freepik.com". This cover, chapter image has been designed using images from Freepik.com

Lightning Source UK Ltd.
Milton Keynes UK
UKHW021825090223
416674UK00011B/149